修行的蟬

林柏希 著

香港文學出版社

{目錄}
Contents

☾ 新生

☾ 幼蟲

● 蛹

● 成蟲

○ 輪迴

新生

童話

春開啟
風鈴微醺
眼所及
青蔥無瑕

旋轉
光的舞台是草原
起飛
兔子掉進雲朵

雨復活的範圍
為山川擦拭涼爽
林徑有彩虹塗鴉
童話是上帝的密語

胚胎

世界屬於七種顏色
在色彩的思量下
繪製了
神秘的胚胎

風呼嘯時發芽
由春至夏
枝丫分裂
延展成星宿

童年圈養起大地
為治癒藍天的憂鬱
樹苗爭先劃破天際
結出繽紛蟬鳴

彩虹的沉淪
造物把造物採摘
花蕊中溫存
自我為自我盛開

語言

點一盞燈
火芯溫潤着　窗外霧濛
亮一季節
心弦泉水裡　情愫傾瀉

修
行
的
蟬

菩提樹下闔上了雙眼
風與紅線交織到纏綿
木棉包圍含蓄　最純粹

荷花淤泥中復甦
湖水靦腆裡迂迴
等漣漪消融花絮

是夏夜
失眠時聽蟬鳴祈願
訴說着
那屬於紅豆的語言

雛鳥

鏡像世界中
雛鳥鑿穿蛋殼
無稽的努力
掙脫真與假的邊界

剝落黑暗
佈滿仍沉睡的光
夢境洶湧
睜眼於無垠海洋

萬花筒

多彩的愉悅
如一碟彩虹
咀嚼着
各種語言

無數面皮
即使飛鳥與魚
積層下
也有一樣的心

萬花筒
各種奇蹟獻祭
百變的符號
刻畫無限
最完美的世界

光

有一種餘光
照亮了天堂
等上帝笑着列舉
等惡魔相贈慈悲

融化着碑記
豁免倔強
火災的原料
蒼白乖張

無人之境
被一句句宣言唾棄
不苟陰柔
彷彿遐想違禁垂涎

當世界被揭露
只想讓魂魄裝進
無垠的混沌
在強光中遣返
回到與黏膜
最初邂逅的地方

豆蔻

僻靜藍泉開始枯竭
站在星球彼岸守夜
黎明將樹贈予春雪
行舟悠然追尋皓月

夾在心弦的書籤
印刷上傾情言語
風沙暫停了時間
落葉呼喚着期許

暖陽灌溉起田園
雨飄過輕拂檀臉
藏身時　躲着誰的眼眸
迷路後　甘願贈予豆蔻

珠貝

漲潮時
珠貝上岸
浪花洗滌着蚌肉
顛倒　慵懶關了窗

銀絲牽引着家
就算把珍珠碎裂
羈絆養育色澤
就算被隕石鑿穿

民族為海
活着　即是夢想
恬靜之眼
眨動　播撒月光

花果

迷情芳草地
散發着泥濘的芬香
坐在樹梢　隨着風
飄浮　旋轉　吞沒

受潮的山川
讓熱忱環抱
白雪被溫潤勾勒
化作露水和霧靄

光束穿破了窗
孤寂而赤裸
外頭匯成了花
回憶在結果

果核忘了過去
氧氣稀薄
外皮都被陰乾
皺褶撞擊時輕鬆

微醺天亮
種子收藏的時刻
故老的新綠
又再將誰人拉扯

蜘蛛網

蜘蛛織網
隨心而為
不羈的態度裡
包容着
運作世界的哲理

走過夜的背影
把夢編寫更迭
玩轉在指尖
轉眼又雲煙

規則的生命
被詮釋不同境遇
沒有急促的足音
只在追風時抹去雨水

日出　日落
它一如既往
沿着地平線
啟程去冒險

煙花

我流浪在藍海
洶湧成就了無賴
黎明生於霧靄
風起　葉的間隙裡傾瀉出愛

我靜候在燈塔　等潮汐日落
浪濤是沙石對明日的牽掛
雨跡　顯得深宵的池塘格外邋遢
忐忑　蝌蚪問荷葉上是否有青蛙

我總是不想長大
因為倒影的面孔裡住着她
自然在世間演化
只好變成點燃盛夏的煙花

曉夢

春雨倏然墜下
宛如自然的預言
流落臉頰　晶瑩淚珠
都在調侃　過去的眷戀

糾纏與紛擾
細緻伴隨優雅
暫停着喧嘩
撞疼了山崖
最終沖淡晚霞

雲彩姿態
微醺朦朧在山峰
輕風懈怠
清晨中　獨醒了曉夢

信件

郵包被劃開
飄落的是我
故事被風捲起
袒露於荒野

一點點
淺了又淺
墨痕開始淡忘

落雨時
深了又深
水印堅持的執念

信件　扎根在樹樁
縱使與收件人無緣
文字依舊在守候
等待旅人的到來
記載年月的文字
也許　終會封存心弦

漁船

夜融化於海
沖刷着流浪漁船
在破舊的外殼裡
有承載希望的指南針

風雨中躺下
它縱情跌宕
任由心臟
被珊瑚填滿

被藤壺佔據前的槳
曾在無際中尋覓
刻印着熱血與狼藉
專屬千古故事的痕跡

雖然終將離去
卻仍探索生機
波浪蜿蜒着日落
最後塵封在海床

沉睡的星空下
它的影子
照亮了
無數的生命

溫暖

春天裡
折一朵小花
寄放於心底
便不再畏懼

隆冬夜
殘存的溫暖
融雪時發芽
終將重啟新綠

少女

被溫室禁錮的花朵
綻放時道別了遼闊
眼隨風追尋着蜃景
卻被掩上閉幽窗櫺

雨下霜蝶飛舞時嬌艷
裙擺披帛婆娑着芳年
狸貓嬉戲林間時呦咽
光鑿穿雲層到了人間

魚兒悠悠斑駁起漣漪
欽羨了雀雁
芙蓉少女吹奏起長笛
失色了睿艷

偏愛

地球流浪着幾年四季
情愫隨步伐散落宇宙
你逐一撿起　種回大地
生出地殼　慫恿律動的念頭

風箏撩撥着雲彩的青澀
裙擺飄散　幡然起曖昧春意
暖洋消融雪山的冰淩
眉眼低垂　唐突了雨的溫柔

淡水魚瀲漾在清泉小溪
曠野中的蜜蜂沉醉於花蜜
博物館中心　名為偏愛的展品
標記着不遠處　與蝴蝶共舞的你

梅花鹿

彷彿置身雨天
彩虹在向湖泊索吻
梅花鹿抬起了
沾滿細沙的腳跟
和躲進荷葉的
害羞青蛙打招呼
跟溪水再見後
它踏上泥濘小路

哎呀
怎麼濕漉漉
怎麼軟塌塌
水滴凌亂了草坪
變成朵朵小花
它甩甩毛髮
它舔舔雨露
睫毛輕顫翹望
飄浮的糖色雲霧

小鹿不知
此刻的真假滉漾
醒來這一切
僅是奇遇夢鄉
記得大地說
雨季後要收割太陽
看懷中晴朗
那出走了仲夏的光

林間的精靈

放眼清澈瞳孔
魚水嬉戲交融
斑駁倒影裡　我正凝視太陽
羊群沐浴日光　穿梭耀亮
屋簷下瞭望風　吹奏長廊

窗外交替季節
雨水稀疏紅葉
靦腆都被澆滅
昔日青澀歲月

果糜爛後　開出彼岸的花
八卦脈絡年輪的老話
鴿銜起橄欖枝　穿越汪洋
搧動起羽翼　帶來自由和希望
自然女神垂眸　權衡着手中天秤
從中躍下　看啊　守護林間的精靈

漂流瓶

心情寫在羊皮卷
塞進剛燒壞的漂流瓶
始於那縷清泉
跌宕到湖泊山嶺

修行的蟬

在一座孤島　隱匿
脫開包裹着的　星辰的秘密
雲林蛻脫了累贅的雨滴
他們爭先恐後　喧嚷進海裡

逐漸淚眼隱沒於飛浪
越嶺避開旁人異樣的鋒芒
如同逃離鐵籠的燕雀
找到一處無人的樹枝安歇

琥珀

溫柔鄉裡氤氳着永生
再也唱不出激昂歌聲
本該傾倒眾人的迷藥
變成翻騰熾熱的泥沼

老虎流淚的紋路
松柏注視下凝固
僵硬身軀蜷縮而赤裸
千萬年遺留下的結果

婀娜的神采姿態
悲泣或欣喜面容
化作凝結此刻的愛
成為最膚淺的虛庸

深淵吞噬着透明的漩渦
那美其名曰永生的挑撥
你可曾有掙扎過
試着逆轉那
駛往甜蜜夢鄉的船舵

新
生

無花果

心底鬼蜮逐漸浮現
化作陰險或作妖艷
秋波諂媚的雙眼
歌頌真心的偽善

無花果腐爛過後扭曲乾癟
你軀幹剖開生出惡意邪念
如黃蜂幼蟲一般洶湧繁衍
是孑孓還是酣甜
是硫酸還是笑顏

要知道浮華不過乃平庸的樂園
要知道人云亦云也荒謬得無言
也許你也曾有妙齡孩童般童顏
被世俗摧殘成魅影低吟般可憐
其實生命短暫得不容浪費蹉跎
不如少留遺憾讓時間開出花朵

光明

一顆恆星落在月亮　壯碩的臂彎
它慵懶地懷抱摯愛　永恆的溫暖
我沒有注意沿途的風景
步履蹣跚地奔赴
在撒滿碎石的路

血從腳底溢出傷口
一寸一寸　濕潤了陸地
月光刺穿了夜闌
鮮紅艷麗般璀璨

獵鷹最終劃破天際
已聽不到嘩然唏噓
晝夜於它都無意義
只將氧氣烙印身軀

無視細雨　日光會照耀大地
拾起沙粒　拼湊曾碎裂的心
駭浪沉船　都已見證過這約定
槳是勇氣　推着桀驁走向光明

太陽

巢穴被風破碎
恍然醒悟
鳥雀已將它遺忘
回憶定格在破曉

世界的角落裡蜷縮自己
想像有人能把它照亮
卻不曾想
其實能親手造就新的洪荒
從而不再去忐忑誰的念想
枝葉與泥把烏雲隱藏
圓形軀幹圈養起晴朗

正如黑夜是失眠者的光
靈魂從腐爛身體中遠走
在大地沉睡時　消化憂傷
才能於潮汐退卻後
把自己變成太陽

羊群

乘流擊敗
沉睡的血脈
在被靈魂吞噬前
封存入神話之門

曠野被開啟
順應自然
幻化出骨肉
精神狂歡

羊群散漫
蒸發於山峰
送走了蹊徑
乘着夜曲
飄逸到黎明

蹄聲錯落
高傲而單純
坐在廣袤的麥田
數着幾粒金黃

修
行
的
蟬

自詡沉睡的浩瀚
美麗而無垠
那時天還很藍
那時雲還很輕

神的俘虜

修士機械般
製造着地球儀器
點醒幾座城市
隨風霜滄桑

提煉出靈魂純度
鏡子囚禁了小丑
讓麻痺的肉身
濃縮成歌舞團

投影機
被雲攪碎
再獨特的年華
都只剩下空殼
沉睡中
由暈眩踏足

今夜的劇場
海便是路
當鳥雀騰空
橄欖鑽出底座

枯枝伸張
報廢幾層船艙
湧進了
神的俘虜

朝你

天體記憶裡
光潔身影在墮落
沒有辯解
無力贅述

修
行
的
蟬

得意忘形下
有墜緒
願被遺忘親吻
把苦澀悠遠

在力竭時
破開世界的窗
壁爐傳遞着明亮
綻放起破曉的剪影

胡亂攀爬的人啊
牽住自己的咽喉
匱乏瀟灑
問何謂天涯

生命垂涎
乾涸了未定
只知在浪跡時
朝聖　朝神　朝你

新世紀的旅程

蝸牛拋離了殼
奇特而彆扭
枝葉間拉出路線
用柔軟扛起世界

清冷的風
盤旋時不露痕跡
共鳴後的騷動
也刺耳依舊

月光　天空中徘徊
雨中城市格外淒涼
當場景扭曲自己
記憶已開始更迭

夜色掩護下
沒時間躊躇不前
心臟粘連起碎片
沸騰跳動的血液
靈魂開啟了
新世紀的旅程

幼蟲

螢火蟲

螢火蟲裡住着每一個夏天
那曾吞噬的炙熱灼焰
換來執念堅強
渲染哀艷過往

當光譜開始熄滅
聞無知唏噓戲謔
不知縫紉誰的視線
又或焚毀誰的指尖

黑夜裡出生的耀亮
湖畔才是永恆故鄉
因而踉蹌也不懈飛揚
即使閃倏亦不忘發光

謎

神像　腐朽
濕氣　讓外漆解禁
四肢　墜落
融化了永恆

慾念　滲入地心
催生出的幽靈
只會盲從引力
企圖染指
智慧的結晶

大氣磅礴下失明
將貪婪培育
生機暗湧的洋流
成為永續器皿

以及
那　從遠古便
顛覆萬物
赴約晝夜的　謎

舉世無雙

三角把異形頂撞
為追尋圓的渴望
只是世界崎嶇
公正半絲半縷

山河無法暫緩
鳥魚總要棲息
如心不可塞滿
有垂涎的空隙

遙遠生出嫵媚
星空何須倚仗
戲謔複製的美
罔兩舉世無雙

生活

伊甸生靈捕獲飄逸的自由
無奈命運繩索終將其束縛
活着　限期智慧　被殺戮
殘忍　來不及笑　被鎖喉

泉眼在乾枯的雨季格外倜儻
音樂在聾啞的耳際尤其絕望
費力討好卻得到荒唐
彷彿看不到華麗堂皇
風吹過　河水也盪漾
最窘迫　竟將其遺忘

其實不過路人打擾
厭倦也別急着逃跑
淤泥堆積魚的玩鬧
擱淺沙灘不再無聊

吸收窘迫　等待潮落
無謂蹉跎　且過生活
只因當鳥不畏懼存亡
才能夠真正體會飛翔

夏天

當鯨群在鳥的胃裡遨遊
勾勒海岸線的結構
當叢林霧濛抽象了陰鬱
風拂過　喚醒了雛菊

騎着單車壓過樹枝
淬煉出碧綠的晴朗
細數雲雨纏綿時長
那山與大地的恩賜

坐在遠山遙望朝暮
光射湖水斑駁窗沿
帶着蔚藍浪濤的紋路
融化的冰在期待夏天

紅酒

微醺的河流
沾濕了理智
只願沉醉於
苦澀的氧氣

當我的紅酒
讓晝夜旋轉
在擁抱時候
麻醉了知覺

言語瀕死的瞬間
眼睛猩紅
流動着浪漫
當此刻的光陰回溯
你墜身成了溫柔

她

她
曾被摔碎於
通往自立的橋
用弱小堅毅的不屈
撐起捍衛的旨意

時而被妄想纏繞
掙不開的心
筆直
渙散療癒
淤泥中凝集

猩紅熱下
無懼世事紛擾
只有她
仍然逆行

在荒蕪中屹立
把身軀推向南方
讓靈魂守望着
成為尊嚴的新娘
在那片被遺忘
謀殺的地方

別離

當雲朵滾燙
把愛掛在光暈
沉甸甸的點滴
融成了純粹
總會別離

無法囚禁清風
便將我與詩句揚起
降臨之處
永存年少時
反覆盛開的落花

你自日出之初
追奔直到日落
而我永遠於
日暮的對面
隨時間流浪
等待着重逢

昨天

無論甚麼匣子
都沒法把陽光封存
它會模仿沙漏
從懷中撒落
再不見於大地

華麗的鮮花
僅綻放一夜
驚鴻僅限瞬間
隨着雨滴逐漸氾濫
美　都留在了昨天

夜曲

悶熱的雨意
睡夢中傾瀉
捎帶些許月光
世界重啟清新

星辰閃爍得徹底
如波浪般晶瑩
採擷明亮的心
來雕琢空靈

無際的暖洋
溶解着休止符
遠方連綿的風
吹響了淡淡夜曲

幼
蟲

未眠

花兒睡了
鮮紅變得柔軟
包裹住細膩
嬌羞的容顏

草木睡了
睡夢中低語
與春風糾纏
沙沙聲　不絕如縷

時間睡了
被拉長的夜
星斗彎曲排列
縱容着深藍霸權

月色下　睜眼
朦朧中展望
祈禱着永恆

萬物都沉寂
卻還有我
未眠

鐫刻

萬籟俱寂
當靈魂重組
心跳聲還很輕

片雲永恆
水滴的流域
愛鐫刻於河裡

幼
蟲

放晴

等月亮綻放
換來一束光
太陽卻早被掩埋
雲層後等待
竟成了在世的殘骸

不聽風吹
方才察覺
夜幕的自私
風遵循着它
寧可帶走細雨
也不願讓他人聆聽

景象沉寂的本色
體現於無聲的漣漪
起伏的湖面
又何其無辜

世界在呻吟
盲目　忙碌
只是潑灑了酒

那些燒傷的面積
需要獨自在日出前填補

時間隨海岸線蔓延
嫩芽還沒長齊
雲雨纏綿病榻
換來永恆的結局

夜霧裡　氤氳的心
還是睡着了
且把雲打散
星空　遂在下一秒放晴

晚間

院內枝幹依然　可惜嫩芽不再
徒留風霜摧殘　咀嚼剩存的無奈
秋風幾載　笑顏出走　眼問何為旱災
許是寂靜　靈魂便沒了波瀾
盡些泥濘　雨靴已破舊不堪

我們失去交集　腳步朦朧　還是清晰
晚間摘下帽子　甩落掛在邊沿的露珠
誰說我還在哭　因傷痛、悸動轉作世俗
祈求僻靜　我願拿夜獨來醉酒
禱告雨幕　窗用盪漾治療恍惚

涼風輕撫着心琴
讓過去墜入密林
濾光　讓回憶流淌進掌心
睡去　夢裡雪霜爬上髮鬢

修
行
的
蟬

遺漏

被風暴埋沒的雪橇
暫停了時針的鐘錶
遺失在我眼眸
不知存在與否

教堂祈禱也不可救
靈魂到底如何挽留
彷彿沉寂多時的雕塑
在無人打理的花園腐朽

無法想像你逝去的以後
鮮血再也流淌不到胸口
烏雲在暖陽稀薄的盡頭
陰霾肆虐　殘存溫柔已不夠
影子遠走　把信念的底片遺漏

幼蟲

漚夢

蝴蝶夜色中旋舞
綻放是脫軌的孤獨
糾纏止步於幽暮
屈從迂迴的飛行紀錄

在盛夏迷失的音符
此刻全都凝結在琴譜
雨意在溫柔中復甦
拾起野花　葬在何處

湖泊醒着
任塵埃在星河晃蕩
宇宙恍惚
戲劇的世界在流淌

月彎的光束
渲染了酣睡的綠蔭
一本沉重的書
掀開那頁　漚夢是長眠的倒影

模樣

隨着時間漂流回蕩
記憶在恍惚中張望
也許被清晨的霧籠罩住
也許被複寫在筆記深處

漂泊流浪的心房
早已沒了家　迷離許久
幻想失落的模樣
夢中淚墜落　斑駁衣袖

濕痕讓年輪腐朽
老樹點綴後　山野增添鬱秀
黎明漫天　日出依舊
窗杜絕飄雨　濕氣便不再長久

流浪

追憶弭平了謎底
如劇本總有序章
枝丫沉寂的間隙
時而也零落晴朗

細雨在花季紛飛
荷塘變得朦朧不清
心底濺起的漣漪
趕在雷聲前淡去

頸邊的清風踉蹌
吹散年久失修的吻痕
那年破碎的我們
散落在地圖上流浪

奴隸

塵埃堆砌孤傲的城牆
倒塌時順勢覆滅嚮往
蝴蝶無意搧動起翅膀
在颳着沙塵暴的遠方

烈陽使大地焦熱
一塊冰如何堅守自己
密林裡深陷沼澤
幻想染指夢鄉的秘密

醒來後　某一刻
喪失了迷惘的記憶
書本裡　那一頁
是困在心中的奴隸

洪流

霓雲是淚蒸騰的
視線被霧攔遮
雨在傷痛中墜落
針流淌着滑過

顛倒眩暈的脈搏
魂魄被生命湮沒
亂世刺穿了耳膜

看寬闊的河畔
魚穿上光鮮繽紛的釉
看久違的暮暗
無視時間洶湧成洪流

霍亂

血交織爛漫房樑
雨沾濕黃昏悠揚
亂竄街角的噩夢詭譎
弧菌四溢着霍亂季節

天堂贈予處決罪惡的快意
猜不透鞭撻屍體葬在哪裡
草藥塞滿鼻腔　鳥也窒息
面具失去表象　迷惑意義

殉難隊伍在歌頌信條
教廷虛偽的無用佐料
黑水潺湲　蔓延盤旋弓弩
獵殺無知　倖存重生大陸

幼蟲

深淵

燭火在深淵
明亮　垂危　無止境
變換了表面
放肆祈禱
喧囂盤旋
蓄意明滅的夢
驟停僅限表面
即將再次沉眠
解放　自由無極限

日落

泅浮瀲灩湖泊
徜徉世界脈絡
變成魚
變成鳥
變成自由的輪廓

天上人間裡遊戲
碧空如洗下追憶
時而飛揚
時而頹唐

晚間河畔的樹蔭下
月色下甦醒的枝丫
看倒影乾枯了水窪

秋風後　黃葉從糾纏到了脫
黃昏過　我亦獨自面向日落

失聲

氣球　寂寞時下墜
思緒　肉體外偷窺
眼淚比劇本誠懇
讓悲傷囤積皺紋

冰霜　封存起體溫
悲鳴着夜　烏鴉盤旋失眠
遊人　背叛了誠懇
伴隨大地　坍塌山的連綿

荒野中孤傲的狼
用積雪掩飾着傷
寬闊中無望徜徉
失血後消散瘋狂

想念
開口後卻一聲不吭
是誰
雨幕紛飛之前失聲

傳染病

小溪淌渾沼澤
濕地裡盡潛伏着
一百個戴面具的卵石
吞噬彼此　早就我中有你　你中有我
風雨雕刻形狀　夜裡克隆軀體
繁衍出一千個自己　竟也不懼水滴石穿

正午時　海岸線還是毫無動靜
太陽並沒有如願地升起
沉睡　也覆蓋着秘密
只有那海市蜃樓的雨林
寂靜　陷阱不帶憐憫

剖開你軀幹的影子
浮現的　竟不是你身形
那是日落後　被風乾　我醜陋的心
和瑣碎而支離　攜帶傳染病的肉體
看啊　在皮下組織裡　有我包覆着你

慾望與惡

我們出沒於大地
卻又深藏土壤裡
在那個影子
都觸摸不到的邊境

頭腦潛伏着
交織起清泉與毒液
當思緒浮現出表面
與烏雲狼狽為奸

水滴擊垮了光
如一縷驚鴻的劇情
隨着時間滲血
腐爛各個細節

血跡被發現
鋪設至海峽中
慾望與惡
都滙聚在
深深的溝渠裡

那來自遠古的罪
將伴隨着漲潮
再次被巨浪
一併拋起

孤島的時光

一個個已凋零的星座
無暇閃爍
耀眼滑稽的容顏
一個個被架空的靈魂
雕刻星球
用腳印踩出悲哀

空洞在月台
列車被發現時
全身已破碎在巷口
迷途的守望者將鐵路坐擁
蒸汽讓天空雲湧
爭先恐後
人影都模糊在窗前

曠野上　遺留兩個墓碑
支配零星的幾簇雜草
星空下　動物們面面相覷
尋思着　過去的　未到來
隨散沙流逝　在孤島的時光

虛擬

虛擬被鏤空
赤裸而張揚
觸摸中私欲彷徨
多舛的裝模作樣

啟迪了盤算
睥睨着時間空隙
隱約　水鏡存疑
擺渡過空殼真心

星光還未眠
懵懂時指控
在失靈的現世
遷徙者已淪滯
讓經緯拉長
麻木了幽遠

重聽

魂魄疊砌　蒸騰染指了霧靄
遍佈浮濫　氣體正腐蝕涅白

結界那端　住着聖潔清靈
執着把齒輪推出泥濘
吊着嗓　虔誠禱告　勸導迂拙

可重聽的人捂着耳朵
拿愚濁故事　勾勒真理
胸腔裡　氧氣一貧如洗

末了
紛飛孤雲　也終成酸雨

幼蟲

蛹

百合零碎

百合零碎
浪漫的謀略
百合零碎
薛定諤的孽

光盲目而殘缺
邂逅在暗色花園
彩虹被雨挾持
根莖已嵌入彼此

自行殺戮
嗩吶下判決
哀艷聲沙
天秤質押着

被黑夜安葬
平凡而赤裸
何時能無畏坦承
放肆於晴朗

眼神啃噬言語
無知　推入墓地
盡頭是深淵
還是那遠古召喚

暗處
塵封的已崩塌
匿跡
歸屬盼在悠遠

蛹

孤獨

月霞在夜裡漫步
旅途的終點還太遠
置身夜海　默默走向未來
兜兜轉轉　草木青苔依然
花謝花開在原地
只是被雲霧繚繞

在這世代　抱怨兩朵相融的雲
迂迴星空　低頭散落一地的雨
颶風　跌宕失重
吹爛早晨枯萎的花瓣
玫瑰　根莖僵冷
掩飾還沒沸騰的驕傲

不再扎根　滑落雪山
粉碎本就凹凸的盔甲
看向遠方　白色盡頭是你的模樣
風迷路了　把我葬送到六尺之下
驟停的氣息　血液蔓延地底
清晨的光束　也只屬於
冬日裡　已沉睡的孤獨

海嘯

突然有海嘯
浪濤擠壓着肺
把岸谷吞噬
不見氧氣

月光　鼓吹了風
輕撫每寸懊悔
逗弄着深水烏賊
讓愛失明

人物回升
緬懷起誕於凌晨
被世界綁架前
未知的遊靈

感染的風暴
帶走了所有的黃昏
不朽的地平線
此刻達到了熔點

必需品

時間孤傲猖狂
黯淡海床
醒來無措張望
挖空的礦

髮髻　散了又束　束了又散
心房流淌沉醉於湖畔
夜雨　旱了又落　落了又旱
殞落朵朵失水的鈴蘭

失憶　瀏覽回憶的墜湮
從未兌現過相信
無際　非屬存在的必需品
芳草雲煙在樹林

暮光

掉落的知覺與理智
在滾燙漩渦裡變成現實
水稀釋着愛的味道
它漂白了零散的七竅

繽紛色彩的季節
童年更迭過後不再散發芬芳
電路和回憶同時短缺
燭光它遺忘了和街道的過往

那看向你的雙眼
曾為繁星與蝴蝶交錯的夜闌
可湖面上夕陽在盪漾
漂浮着不知是誰倒映誰的暮光

想念

凋謝在邊緣　雙眼矇矓藍天
無聲的纏綿　詭異僅限瞬間
迂迴般循環　思戀吞噬季節
想念怎麼寫　不如相繼忘卻

憂鬱煽惑雨淚　雷聲打到哽咽
傷風淪陷膠片　像標本般龜裂
隕石擊垮床沿　掏空夜深明月

腐朽花落　阿茲海默的盛開
贈送予你　糟踐青春的無害
未來絕緣　消受我結痂曾繭
試煉滋味　回憶糜爛在眼簾

修
行
的
蟬

夢中人

畫面中我與你遊戲
情愫在鞦韆上擁擠
忽略些許可疑的痕跡
此刻我只沉溺　在你溫柔的懷裡

驚醒　雲在沖刷　侵蝕着回憶
悖逆　夢中人不願面對雨滴
春泥被洪水肆意
不留餘地　消散於流域
猶如這霧霾天氣
放眼望去　迷失在眼底

心情隨着波光飄逸
亂葬眩暈的漩渦裡
吞噬光明　黯淡存在的意義
時間遠去　問句走散了謎底

疲倦地闔上影集
靈魂死在殘骸裡
讓烈日麻痺夜晚
消融苦楚與難堪

疾風吹滅期許
在這沒有你的夏季
雨水伴隨淚滴
我祈求活在睡夢裡

修
行
的
蟬

慾望

腐蝕河口的油垢
黑夜氾濫了海流
塑膠以昂首姿態不朽
網狀剪綵儀式完成後
捆綁　銷售
剩下打折的自由

原先撰寫淨土樂章
墨水卻蒸騰又變涼
放任心裡的窗　許久未擦
玻璃上風雨　問如何去颳
無所謂灰燼把黎明給佈滿
慾望堆積後　不堪陳腐的船

碎裂

太陽把我的心刺穿
不規則破洞的缺口
流淌出墨綠色憂傷
學着樹葉遮擋着光

你在夢中流了許多淚
發現眼淚變不成珍珠
掉的只有滿地的碎石
砸向彼此　殘缺零碎
加劇　在冬季變作灰燼
屢屢　它們堆砌成山脈

春天到來時　開始了我的遠足
穿過那片荒涼的　廣袤的　田野
遇見了　坐在草原上的你
星光點點　抖落在臉龐
美中不足的是
落在方圓百米
那細微的塵埃

我伸手幫忙撫去
急切　竟忘記遮擋胸膛
你步履蹣跚地走向我
用地上的碎石填滿空洞
我們相視而笑
明白脈搏都是拼圖
卻無懼賭一場碎裂

蛹

體面

我腦中旋轉着天氣
想着雨水　沙漠裡打翻
不知道雨滴是否會留下遺憾
這無人之地沒可能因此不旱

可你卻在看大海　連綿的深藍
眼底湖水的底片　斑駁起夜闌
洗過膠卷後　魂魄剩在溶液裡
是我已分不清的色彩
它倉促間稀釋　隱埋

我在悲鳴裡徘徊
你想牽起我的手
嘿　斷線織不了毛衣
看　透過骨骼　你拉扯着
不過是另一條
失去鈣的繩索

但在黃昏　　恍惚間
夜空的顏色　　變得深沉
放眼望去　　不過陷入昏厥的人
瞥一眼街角　　瞳孔更清晰一寸
即使沒有亮燈　　陪在我夢醒時分

蛹

誰叫那早已死去的繁星
還在眼眸裡定居
它們給被剩下的
在夜中道別的我們
留點來自遠方的塵光
足以燒毀回車鍵
來照亮所剩無幾的體面
只當雲難過哭泣時
才抬起　　同樣佈滿淚痕的臉

半夢半醒

快門在日出前便已閉合
破碎巢穴裡雛鳥在高歌
失重的雲在畫中朦朧
景色全都被雨水消融

風隱密的狂熱
被揭穿在黃頁
在那被翻閱得
佈滿破碎皺褶的相冊
慾望　刻畫下逐漸深刻
把樹葉吹亂　它明滅於朦朧
只願與不存在的光束偎擁

溫暖已經到來
無畏星河的岔齒
睜眼　那靜謐瀰漫的夜晚
月亮依舊半夢半醒

遠

等風颳到月圓
炊煙相繼明滅
皓雪蒙住了天
正啃噬着思念

瀰漫的夢魘
預留些時間來哽咽
墜入了深淵
感知在永恆的邊緣

黃昏令誰沉醉
夕陽拉扯着眼簾
細看夜的影子
依舊是很遠
很遠……

蛹

一貧如洗

江流滾燙
誓言從橋上拋下
歌頌着愛意
執着至沙啞

當緊扣的鎖分裂
重生了孤獨的人
讓心情變回易碎品
在沸水中失去自己

隨着時間
存在於黑色島嶼的
貪婪念想
還是敗給了黎明

蒸發後
天混濁了光芒
抬頭祈禱　便失去
雲　如心　如風　如雨
終將　一貧如洗

重組

向下延伸
生長的軌跡無常
黑土環繞
在牢籠中肆意

睜開眼
一半星辰
早已磨成了粉末
勾芡在荒漠

沙丘無垠
拉扯了自己
固執的復盤
分不清
綠洲化石

颶風吹襲
葬送彷徨
生命淪陷後
齒輪將啟動

轉動出
靈魂統治
鎖眼堵上鑰匙
讓希望在堅定中
分裂　重組了世界

修
行
的
蟬

製造月光

倒影在岸上
塵封千年　鵝卵石堆砌相框
困住了慾望
風與雨一同變老

少年終會暴露滄桑
羞愧之際　已不懈存亡
只歸咎於　蹉跎歲月
平淡了頹靡的哭號
只歸咎於　鎏金世界
試數細沙般　蹂躪韶華

坐擁塵灰和黑石子
同時暗色系深淵裡
火車或寶劍的自衛
僅畏懼是製造月光

雨

我用生命換取彩虹
是屬於自己的絢爛
卻無從得知
何處滲出了欽羨
此刻　我不願沉湎於躊躇
抽乾血液　注入天幕
幻想着編織藍天

凌晨　就着夜色
攀登上最高的山
發誓與太陽相愛
去求證彼此的未來
從此便也不再期待
那被月色吞噬的世界

雖然那柔軟的射線
終將在手心裡黯淡
可它曾帶來過溫暖
仰躺於山頂　沐浴着晨光
軀幹僵硬　雲霧散盡了晴朗
大氣中　我任由自己
被輕狂的風誅夷殆盡
被落葉與塵埃隱埋

修
行
的
蟬

疤

星辰把天空縫合
在雲霧繚繞時
雕琢着乏味
讓憂傷都閃爍

用溫柔抵擋身傷
不棄不離
那黑夜的疤
是永恆的風景

蛹

湧動

月色入場
今夜粉飾了愁容
陰天晴朗
鏡子裡道別相擁

瘧蚊剛睜眼的惺忪
血液各不兼容
影子輪廓統稱牢籠
關起　便成就彩虹

筆尖讓蛇來把控
溢出的半張泄洪
蔓延成　淚眼斑駁的紅腫
愛沉澱　脈搏也重新湧動

進化

最初為
精湛於繁衍
不染塵埃的草原
身為古老傳說
拉長了輝煌
綻放着生命和弦

千年後
家族走向城市
牧羊人留守在郊外
進化的譜
放下陰鷙的手段
未來的路
無須心底的柵欄

高歌

拉好發條
摩擦出火紅
踉蹌的步伐
似乎在勉強地
維持着體面

忐忑指針
流露成時間
如驕傲划過水面
又於鏡頭前
消失不見

當海鳥盤旋
俯身獻祭
在羽翼輕觸前
墜身愛的湖泊
終在沉眠中

被水藻包裹
等傷口癒合
覺醒了大地
將再度高歌

潮汐

人煙全無的島嶼
麻痺感官與時間
海浪　平靜
如同　許久未升起
只存在於童話的太陽

成群的魚蝦
在結冰的水面下
無聲接吻
待模糊散去焦點
再悄然窒息

雨下不停
彷彿置身海裡
潛伏在深淵臂彎
任由海草咀嚼我

它把我纏繞
撥開了
沉睡的眼睛
它把光注入
帶走了
下一場潮汐

雲

天空
滑落淚滴
降低亮度時
響徹在窗簾

言語
被安慰了
陪着雨降臨
已經數不清

迂迴盤旋的節奏
被花草吸收
釋出的風
如此清晰

沙漏裡
彩虹在流動
而溢出的幸福
屬於此刻的雲

讓悲傷僅限於想像
夢醒時
跟流域中重生的自己
再見

把希望寄放
將心的熱忱
凝聚成寧靜
歸還給大地

蛹

夙願

月光墜落
在睡夢裡消失
午夜的路線
已沒了終點

星辰看不見
頹唐的雙眼
被禁錮着
渙散在雨中

枕頭依稀
聽到呢喃
還來不及透露
都融化在鵝絨

風起
穿透時空
夢裡
有晶瑩的夙願

同路人

同路人
躊躇不定
張望着遠方
山樑後還有山樑

質問讓質問神傷
雨水撥開雲的繚繞
靈魂與靈魂攙扶
當彩虹豐收了希望

同路人
一起奔向陽光
就算
山樑後還有山樑

蛻變

湛藍盛着糖霜
綻蕊雲朵　掛滿赤豆的情愫
雨決意撒下太陽
午夜鐘響　金箔正化作淖濘

黎明吞噬白熾
嚮往反方向的地址
信件焚毀污漬
拘泥無人問津的桌椅

翻遍浮生饋贈的冊錄
痂封閉了傷　墜進童話夢境
蝶掙脫蛹　鑽出隙縫　蛻變掉躊躇
不管晝夜　不論對錯　恬靜時旋舞

蛹

成蟲

夢

透支太空　海底消融
無謂黑夜　在虛空

混淆寂靜的湯　我生與孤獨為伍
大地拾起隕石　銷毀草木的溫度

朝聖者　道路扭曲的盡頭失蹤
蛇爬過　蔓延不可逆轉的枯榮

熄滅肉體　如沐春風
咀嚼蝴蝶　反覆夢

病

無私凌鋤
脊椎扭曲成刺
摺倒了誰的低迷
搖曳未過大半的途路

烏鴉重複着讒謗
與神明同步
讓日盲者拆卸主見
演化兩棲的愛

長矛偏頗
詭譎而踉蹌
把灰暗
刺入身上

病者成醫
推送着膜拜圓月
被光害主導
失足正午時

奸詐叵測
於大潮襲擊時成年
在死神的祭典中
獻祭遙遠

深藍

不知從何時降臨
深藍如水滴般
翻騰於灼熱陸地
那片淪陷的重災區

黃昏後
把人類隔絕
分揀出寶石
鑲在那良性之魂
僅存的墓碑上

一公里外
群居的月光
臨盆於波濤中
擁擠破損的歌謠
在孤獨的摩擦下
浮沉成黑夜

鯨

恰逢經過海灣
專門為渲染波紋
看它隨時間弭平
氾濫了　一場空

如雕塑沉澱
不被浪潮擊垮
從萎靡到屹立
也許僅是場夢

也許堅強是虛假的
渴望卻源源不絕
卡在裂縫裡
企圖支撐着生活

藤壺鑲嵌軀殼
被當成靈魂載體
那無法拔出的傑作
隨着一聲歌頌
與遺言共同脫落

翻身了
多年以後
在天堂的彼岸
與沙礫蒸發於樂園

陪海

藍天的前方
無限延續
連接到哪裡
世界失智

泡沫取代了鯨群
在虛構的朦朧中
前路不清晰
寧願溺在水裡

深淺無常
習慣了錯愕
躍動本色
理應消磨的意義

島瓦解的那天
思緒永存
浪潮來得剛好
拋開了全部

甚麼都流淌
只剩下了回音
還陪着
懵懂的海

無賴

撈起靈魂
用慾望交織的漁網
鯉魚與無知碰撞
龍門前都淪陷　跳不準

水的形態在湖面更迭
波濤湧動把日夜侵齧
春風無法將冰雪切割
在人傳人的　失焦的狂熱

鯨群離開孕育他們的深海
戲謔自己為最深情演技派
攀登　內壁破裂已久　陰森的山洞
剖開　雙眼泛白　心也止不住跳動

等那封無謂拆解的剖白
陪烏雲散盡後　連綿起伏的山脈
硬把流星當成莓果採摘
試問誰是不通人情世故的無賴

赤裸

無人駕駛的船隻
還在激流中遠航
自由的浪在瑟縮
牢籠中一片汪洋

鯨群自願擱淺
它們唱安息的歌
沙石與時間膠着
越紅眼越接近意志

浪吸收了雲的顫抖
其實被酸雨下了咒
海水永恆的沉默
回溯下一次赤裸

贖罪

魚吐出的
那不起眼的氣泡
打磨了失落
陪伴沉靜
在無光處綻放

翻湧出駭浪
朵朵致命而張揚
今夜的漁船
失蹤於贖罪的果

消逝藍海

潮水來時　將沙石捲入角落
風暴前夕　已掩埋靈魂自我
盼望無邊的晝夜

岸邊僻靜　藍水倒映着過去
鯨也消亡　曾經柳絮成廢墟
聽浪吞噬着唏噓

不願睡去　想和游魚徜徉海際
遺憾夜裡　細雨紛飛激情消逝
言語間已淡去氣力

成
蟲

日子

日子
如居住在
玻璃窗的日落
走遠了
在一瞥之前

被晚風奏曲
倜儻清爽
捲走煩瑣
換夏夜風情

流星天際
驚艷了期許
消散在內心
折射光明

四季

天盛開在海岸線
暈染了浪花朵朵
夕陽搖曳　波光瀲灩
雪消融金箔　延綿着澎湃

無意間　扔下幾片雲
雨在密林間生生不息
滌去些許憂愁煩惱
淅瀝一地鳥語蟲鳴

花開的碎片
散落在窗邊
風絮與蝴蝶交替
拾起　拼湊成了四季

花火

如燈芯被修剪
白潔而赤裸
待到焚燒
進化為亮光

把生命獻祭給
那深愛的幽暗
執着於漫長
逸出了永存

噴湧無數希望
虔誠的指引下
響徹天地交融時
靈魂併合的花火

熱忱

清晨　那偏遠山鎮
尚有太陽殘留的餘溫
枯樹上　鳥巢不見主人
蒼白無奈　隱沒了繁盛

雪　糖霜般天上撒落
在窗沿停頓片刻
隨即向土壤跳落
滋潤大地的姿色

風雨清冷　天氣陰沉
雪泯滅憂鬱　活潑嬉鬧
庭院外　景色安謐靜好
雲與太空也相視而笑
只屬陰霾冬日的熱忱

成蟲

盛開的季節

夜的墓碑
結痂了傷痕
封閉的淚腺
同笑容一樣葬送

掌紋不如預期
待到細雨落下
盤算生命的語言
微風變得駁雜
學着草木蔓延
在百般無賴中
越纏鬥越發明顯

心的降溫
造就了妥協
冰冷最適合
讓雨水凝結成花蕊

從雲端開始重溫
心情揚棄塵沙
等你鑿穿了時間
我與整個世界
都將合併分裂
嶄新　再次迎來
盛開的季節

成
蟲

繩結

晚風之前
曾交錯的線索
霧霾中爛漫
逐漸黏稠而遙遠

看向彼此
那最後一眼
我們角逐
蘊含許多
膠着的花苞
強忍無奈
反覆綻放的煎熬

時間暫停
偷閒縫隙中
肉體已作廢
當光穿鑿

聯通夢
羈絆靈魂
再無須言語

自由與寂寞
互相捆綁
我與你
必將
終成繩結

美麗

迷途行走在原地
埋沒盡頭處等你
遺忘了　塵封箱底的雨衣
葉落時　凋零也枯黃大地

沙漠中蒸發的駱駝
淚眼迷離　胡謅綠野如何寬闊
熱浪侵襲　日出焚燒新鮮水印
穿破　透支自我的愛情
繩結　碎裂在離別前夕

太空陷阱　稍縱呼吸
模糊地帶　輪廓依稀
我伸手　再抓不住光明
墜入那　不見五指的井
雨滴　夜色中暫停了悲鳴
旋轉　風沙後終歸為美麗

玫瑰海

博物館長廊懸掛一幅幅莊嚴
畫中他雙眼逐漸被嗜慾覆掩
一聲令下傾瀉出花瓣的驚艷
醺醉人們玫瑰海裡沉浮纏綿
晨光下海水炙熱翻湧時激濺

神明注視下狂歡中的信徒
被赤色駭浪吞噬了變成魚
無所謂何方成為他們歸屬
浪漫蒸散了身軀流入溪澗
迷離的靈魂將被神明宣判
試問他們心靈內真假明暗

說是因不願終其一生的懦弱
說是奉承上帝的羔羊和農作
說燈紅酒綠還稱不上是罪過
說不過幻想派對中迷幻茶火

那殘忍放蕩的男人幻化成泡沫
可知天棚的墜落終會將他吞沒
又是何人在觀看着失焦宴客
鑒賞這昏庸至極的煙海娛樂

日食

太陽被取代了
心跳失衡
記憶中迷藏
吞噬前路的光

天被海染指了
晴朗的日子
熔岩聚集於月下
那裡有
鮮紅的漣漪

曠野被腐蝕了
黑白混亂中噴發
世界的希望
賭局不過
遊戲一場

恍惚有日出
那日食的信徒
刺眼中被馴服
通通死去

物種更迭
一片金色土地
崇拜光耀的人
圈養的動物在亂舞

山谷沒有回音
狂歡中
是誰
又把月亮遺忘

成蟲

知己難守
愛意難留
當光芒背棄黑夜
捆綁後消逝熱烈

成蟲破裂了蟬蛹
隱沒於無垠太空
翅膀飛舞到腐朽
縹緲對人的渴求

時間沖淡了愛的痕跡
課桌從喧鬧坐到沉寂
你說你離去後遲來關心
我想我只需失聯和沉浸

麥穗

秋風掃落時泛黃
雨水沖刷在臉龐
面朝向暖陽
低垂着回想

它見證的過往
從繁衍到消亡
比如孩童踏青時嬉鬧
抑或年老夫婦的爭吵
感受夏日烈照和冬日冷冽
還有剛冒出嫩芽時　膽小的羞怯

年　還差一個季節就滿了
田野也即將被雪霜封存
在臨別之際
麥穗的記憶
並不是沒變成金子的遺憾
或無法飄過最外圍的柵欄
而是春季學童們的笑顏
和秋野午後收割的燦爛

淡化加工後的複雜
拋開那些無謂繁華
昔日佈滿快樂的眼簾
是能銘記一生的瞬間
因片刻　終會於心間永恆
化作燈　照亮離別的路程

明天

溪澗流淌時間的刀片
割斷連接起彼此的線
曾滿懷着愛意的依戀
幻化相敬如賓的無言

裝起回憶鎖上閣樓
不見住着我的眼眸
消散霧氣瀰漫窗口
悲歡離合同時置郵

眺望流星許下了諾言
背對背我們逐漸走遠
領略寂靜訴說的可憐
夜闌時我將描繪明天

重逢

波光在海面流動
午夜隕落的慈惠
擱淺的藍鯨似是歌頌
萬物終將消亡的籠統

我們約定着重逢　蹉跎在平行時空
不過夢中擦肩錯過的朦朧
猩紅念頭在煽風　心在安靜時失控
自尊是壓抑奔向你的衝動

仰頭注目着無際太空
靈魂在淚雨流乾後失重
飄盪於水霧　或成為彩虹
徒留軀殼與凋零的星辰相擁

流淌

車輪在磨蹭　吱吱作響
道路熟悉了　壓延的神傷
風雨連綿　與笛聲糾纏起惆悵
黑暗處　遺失在樂譜的篇章

黎明和日落都一樣
光照的同時　變成夢的史書
倒帶中落空
霧靄裡　孤寂的船槳
揮霍着盪漾
泛起漣漪　卻不曾流進心房

太陽　被冰封在人世間消磨
夜幕中面孔重歸為赤裸
繁星是蜘蛛編織的迷惘
在名為角落的地方
有淪喪星球的船舶
呢喃地說
它忘了時間該怎樣流淌

光與陰

花散落在異國
晴朗時芳香
此刻卻又
只剩青草的氣息

如沉浸於戲劇
那一場旅行
詮釋着的
最終合併了自己

窗外粘連着雨
被風煮沸的熱浪
不知飄到哪裡
澆熄了蟬鳴
更迭心底的聲音

光依然探險
叫醒了有限的風景
生活
用迂迴方式

在道別白晝之後
懸掛的月
正享受着
陰影的韻律

成蟲

糜爛

晃蕩在宇宙曠野中
流浪着一個吞噬所有隕石
加冕成為世界之最的星系
縹緲不定　無人問津

時間在和世界拉扯
布匹蓋到角落一側
被迷霧挑染出顏色
漂白掉純粹的快樂

膠卷比月圓更憔悴
稀釋了雲朵的尖銳
失眠情緒的怨懟
原來滑稽在作祟

在混沌不明時
沒了鰭的魚群在水中共舞
太陽被製成種子
白晝來臨前就糜爛於幽谷

溶液

秒錶恥笑着里程碑
傍晚的星空看起來格外明媚
氣球飛行在天際還是海底
活着　終究作為線團的奴隸
牧羊人在鐘響時翻找
支持隱形主義的指針

雪霜紛飛卻踏步原地
靈魂和軀幹相繼走散
承載罪孽的心搔癢
今夜決定赤足流浪

冀望鯨群的寬闊
是那艷羨的自由
雙手能做的僅是止血
卻用磨砂膏摧殘龜裂
笑容粘連　大理石雕刻的喪屍
時間流淌　只讓世界把誰遺忘

窗前腐爛了一片嫩綠的樹葉
當最後的珠貝開始碎裂
人們狂歡中載歌且舞
圓桌上優雅的紳士　正在舉杯品嚐
那瓶充滿鹽酸結晶的淡紅溶液

緘默

烏鴉深淵中叛逆
啄食肩頭的羽翼
稀疏幾片灰黑色
那關於風的圖冊

凋零在命運的齒輪
它被幻想滋潤
轉一尺　消融懦弱
歸宿竟是血泊
鮮紅混濁世界
何以堅守緇涅

風吹起乾癟的灰燼
散盡自尊無存的心
為何執着自我
不如穿破這漩渦
僅剩碎裂肢體
水中婆娑戰慄

靈魂早已中空
赦免等待的沉重
消弭彼此　粉碎於赤裸
蒙住眼　我正聆聽緘默

信仰

深夜是冰冷的
枝葉被風吹起
左擺　右晃
輕輕飄落

醒來後又夢
在廣袤沙田
腐爛了身軀
最後送葬的
是來自遠方
皎潔的月光

那根木樁記得
怎麼能遺忘
只不過自己
也被砍伐得滄桑
唯獨暴露在切口
快被風乾的年輪
還記錄着
此刻的存亡

把在僅剩的
乾枯黃葉上
啃噬的昆蟲
當作陪伴與認同
作為活下去的信仰
掛上雲杉　變換成彩虹
那時　蠶在雨中編織起繭
浸濕的泥土正與樹皮纏綿

最終解決方案

毒氣瀰漫着　虛脫
手掌無力撐起藍天
枯竭了源泉　逝去
尋找天堂或是烈焰
指甲抓下帶血的字眼
窗口呼吸閉合起視線

是同類嗎　還是劊子手
身為行屍走肉的土一抔
如何走⋯⋯
不能夠⋯⋯
體面遠去　僅剩存骷髏
企圖禱告　將手足死守

夜晚他做了噩夢
酷刑鞭策又新增
獵殺靈魂和志誠
墓這無人住的坑

日記裝進口袋　埋在地底
禱告無果而終　爛死心裡
戰亂開出花　焰氾濫胸腔
記憶都照明　前路上耀亮
時間不弭平　正義不窮涼

安葬

伏特加俯身消融空洞
合成的尋覓者在歌頌
追逐着虛度的遊戲
地面只剩半身倒影

描繪着玫瑰
彷彿爛漫
未經任何雕琢
又從背後
於花苞的中央
拆卸出破碎能源

綻放時
理想作為代價
讓生命失去光亮
虛構的靈魂只能渙散

讓傷悲失憶
任由雨熄滅了你
六月有留白的書信
盛夏捆綁風箏上

隨着洪流飄盪
寂靜了本心
隨夜磨去翅膀
末路是夢想

長眠

掉進
文字之間
陷阱用蜜糖口吻
顛倒
接駁劇場
電流會點綴一切

零碎切割
隨着紙屑裝滿
填充物重整
細菌無息無聲
繁衍塵蟎

過度分裂
在無氧的溫床
讓爬行佔據世界
殺蟲劑由勇氣組成
從邊界　吞咽　蔓延

淨化物質
轉眼間暈眩組建
拋下依戀
我在覺醒中長眠

不完美

涙眼哭乾　眉愁
風在髮梢逍遙
窗櫺遮掩着泥濘
輕聲呢喃着風流

石窟冰冷依舊
燭夜明滅
腐朽壁畫上
記錄着彼此守候
別去的曾經

垂首時
場景從高處墮落
離別的鐘聲敲響

等凌晨　盤旋舞動的蝴蝶
暈眩了幻想世界
夢醒來　彷彿置身笑話
人間總有稀碎雨滴

爬出沼澤
泥濘於身後溢出
拉扯一地是非
繼續走吧
就算不完美

成
蟲

輪 廻

修行的蟬

夏天是崎嶇的
太陽的舊把戲
總要表現些反叛
已經不新鮮了

熱浪灼傷了幼蟲
恰巧清晨的露珠
正拘泥於絨毛
水　一如既往的倜儻
感染着快痊癒的舊傷

一定要經歷的
再也無法逃離
從摧殘到重生
漫長而深刻
促使它於烈日沉淪

樹下乘涼
聽聞鳴叫聲
是多麼痛苦
卻又如此美妙

問起時
它也不覺得
這有何不妥
「那是恩慈，
是進化的代價」
如是說道

再相遇時
它已入土為安
我搭建了一個墓碑
插在花園的角落
上面寫着：

沉睡吧
勇士已成就夏季
沉睡吧
修行的蟬

維度

情蘊斑駁海岸線
宇宙炸裂了空間
數不清繁星墮落
藍綠也閃倏交錯

文明殞身長廊
程式融毀夢鄉
為何要列舉公式
不若就隨它如此
荒誕的皮囊是意義
敗壞思想擱淺迷逆

世界混沌也失落
消散肉體　墜入蟲洞
文字捨棄了楮墨
冊頁扭曲維度　心靈重疊偎擁

悟

赧然的桃木劍
藏在深情的側顏
艷麗地將我謀殺
因孤立的核心赤裸
空洞了回聲
拒絕為之繁衍

自由流淌於地表
聽鳥雀之聲碰撞得清脆
歌唱空　又歌唱所有
襯着渺小的浩瀚
千萬將死之物合音
響徹的　至於何處

參透須臾的真諦
一切都屬於回溯
而待到重力暫停
一個時空的虛擬
往往　飄忽不定

動物草木

無奈的動物
渙散了視線
翻找記憶
接駁
拼湊成時間

它們歇斯底里
證明是至關重要的
所以空洞的宣誓
現在　過去　抑或未來

路過的餘生
是疲憊不堪的
爭霸賽上追逐一切
到頭來還成虛空

最後累倒在土壤
雙眼還妄想前方
周圍　草木扶疏
枝葉浮動　取代了呻吟

樹生活在高處
它在半空呆滯
從不記掛這些
也無謂唏噓那些

只是遵循着風
搖曳跌宕
只當洪水氾濫
把自身擰乾
在月初變換容顏
潮汐時又是夢一場

家的方向

獨自在森林旋轉
想待到昏厥
讓迷幻眩暈
樹叢把我吞噬填滿
顏料把綠葉染成藍

也有動物曾停留
但都已逐漸腐朽
宇宙冰冷依舊
雨水澆打細柳
被淋濕的我　放縱知覺
變成弱不禁風的麻雀

深夜　在星辰明滅時黯淡
停不下破浪前行的帆船
也許　提醒誰不要去期待
霧靄裡尋覓自己的蓬萊

心碎裂時　你搖醒月亮
如鑽石般灑落陸地
瞬間　世界墜入溫柔的暖洋
驚艷着我　來不及哭泣
只剩目光呆愣
看那束光　穿過缺口
指往着家的方向

希望

時間散盡
在縹緲無瑕的虛空裡
晝夜隱匿
每個靈魂都開始流浪
徘徊的心
等風再次把面孔吹亮

沒有一朵桃花垂憐
風箏線縱情地斷裂
瞳孔默許了陰雨天
意義被重塑又碎裂

可生來背着希冀
便不懼蛇的毒液
日食奪取了太陽的身軀
啃噬後　倖存的只有希望

故鄉

這絲絲牽掛的釀念
化作朵朵晶瑩雪蓮
融化沾濕微紅指尖

這是引人歸家的遷徙旅雁
流連浸染星辰的寂靜莊園
歇在佈滿螢火蟲的池塘邊

星光粼粼
璀璨湛藍酣睡溫床
淚眼盈盈
看她故鄉又在何方

回望

再次回望
身後還是你
多年依舊
盛滿溫柔的眼

被雲的紋理包圍
擁護之下的生命
蹣跚着陸
勇氣與堅強
造就滿堂星光

擁抱中成長
當你疲憊時
我會扛起太陽
共同普照家鄉

清醒

我翻山越嶺赴往彼岸
在滿山花海找尋心安
簇葉自此愛上秋夜
預期起未定的零謝

何時是歸程
撫摸堆積眉宇間深沉
流血的傷痕
湖倒映的人似在擁吻

凝固的幻想開始融化
流淌滋潤溫樹的春夏
紡錘造的夢境裡逐漸清醒
你不過是我擦肩而過的身影

結果

雨天沉默
種植
結果
興許埋下自己
根除生命中
不起眼的雜質
把本心成就
推崇論的法則
霞光冉冉升起
根莖便觸及自由
帶我將回到那個夢
那個　從無到有的地方

契約

逐月自遣於大海藍天的交界
聆聽身後那片我熟悉的山野
山澗裡飛過稍縱即逝的飄雪

白釉包容着我的欠缺
最後放縱時歡快雀躍
蠟燭點燃聖火時明滅
舞裙也被揮霍到乾癟

銀河簇簇混沌流光傾瀉
流淌到空間　穿透我指尖　碎裂
螢火蟲墮落駭浪成了午夜
蹂躪神與世界的契約
等待那最純粹的判決

亡靈敍事

普里皮亞季上空
那明滅的煙
冉冉升起時
幻化成那些繁雲
雨滴訴說着

是那肝腸寸斷的哀念？
互相推脫着的謬誤
不在乎
還是刻骨銘心的愛戀？
槍支帶不走的守護
不服輸

絮語滴滴
帶着混凝土與岩溶的罪孽
伴隨地下室內被迫
澆灌的水
並同石棺材落下時
飛揚的灰
擴散大氣於無界

共生體

在昏暗中睡去
品嚐夜色細雨
眼裡波光幽亮
斷送神經念想

細核 * 醞釀正反
支配身體運轉
迷離的操縱者
齒輪加速罪惡
你爭我奪之餘
歌頌勝利的慾

光芒灑進深淵
照亮死去淵源
窒息於線粒體
輪迴在共生體

＊ 細核：細胞核

販賣機

銷售靈魂的販賣機
邪念遠比道德純粹
原來精煉善意的器皿
已被面具和硝煙腐蝕

滴管儲存聖靈的淚滴
風起雲湧　坍塌了牆角日曆
槍聲迷惑了黎明的凱期
烏雲拖拽喪病　橫掃整片陸地

拼湊荊棘　捧起編織　製出人臉
玫瑰扎破又一條底線
喧囂如洪水氾濫　覆蓋着無名哀怨
破碎的月光也憔悴黯淡

讓時間支援　守夜人正在失眠
流浪的草原　羊群模糊着夜幕焦點
更抬手細數　蟬鳴時檢驗夏天
翠綠色萌芽　在被淤泥渾濁的台面

星辰

時光洪流奔向
交織雲梯夢境
斑駁樹影扶疏
矇矓淚眼戰慄

看你的足跡
初秋擱淺　風稀釋着記憶
等你的不懈
蟬背棄樹　寂靜連綿起夜

透徹圓缺方常駐幸福
失去知覺才自我復甦
魔鬼續約　與之交換
化成星辰　擁抱黑暗

點亮

烈日曝曬着魂魄
達到熔點　消散了輪廓
聚光燈下　凝望着
對岸僅存在於膠卷的顏色
與被思緒淹沒眼簾的旅客

一個個追隨步伐都失去理由
水湠湠的河乾枯後怎麼汗流
水再也無法凝聚自己
北極熊最終皮包骨
變成灰燼　散落滿地
僅剩回憶　消磨睡意

銀河中星辰正輾轉反側
獨守着各自破碎的軀殼
想把宇宙的光芒點亮
想在時間的歌中迴盪

失落山野

烈焰　不羈叫嘯的籠統
臉孔　無濟翻騰時從容
看你唏噓畫着圖騰
看我身軀海裡變冷

被惡魔算計的信徒
與蛇共舞着手腕
赤裸羞澀看她的主
啃噬着生命瀰漫

繁衍算計沒過耳骨
惡俗境地在明滅
蒸沸日落照耀的湖
望亮光失落山野

蜉蝣

朝朝暮暮
池塘概括了天地
垂眸播種
稀薄吐出繁盛

時間付給思量
半身淤滯水中
碰觸明月
凝結希望

雷陣雨中晴朗
愛恨的交織
沉澱於池底
滋潤了
一場夢

生命總是冗長
噤聲的喧嘩
匆匆而過
宛如倉促間
死於日落的
蜉蝣

故鄉的遠方

故鄉的遠方　有座海濱村莊
拂曉　朝霞埋在雲裡　橘紅沾染天際
街道遊蕩　清風冷雨搭訕　撩撥行人髮絲

灘前細沙　攪拌碧藍駭浪
粼粼波光　迎合帆船聲響
起伏跌宕　追逐那頭　海岸線的太陽

村莊習慣了人們悲歡存亡
只在失落時　給予溫婉細膩的月光
半數凋零的城堡膠著皎亮
日復一日　年復一年　積攢邋遢
倔強看守　餘震後倖存　仍呼嘯的山崖
也見證集市的過往　從浮華到傷疤

甚麼時候　故土心間暗淡　不再嚮往門檻
甚麼時候　遠方將其替作　蘊釀我的搖籃

修行的蟬

歸途

凌亂在樹梢的雨滴
滑落一地　泥濘摻雜着回憶
剩下蒲公英的種子
舔舐甘苦參半的淅瀝

傳教士遺忘了上帝
只嚮往黎明的美麗
朝聖者自行刺瞎雙眼
鮮血在許願池中蔓延

精心修剪枯萎的花
像不願遺棄朽木的烏鴉
只是風　浪濤般洶湧而來
卻在盛夏消融於郊外
因為已淌過了所有荒蕪
就不必再費時　等待歸途

終點站

當一棵幼苗開始期許
光束混合在林間的蔥鬱
大地喚醒了沉睡的心
他醺醉於湖的深情
和大雁一同到達目的地
研究銀河系的謎底

眨間幾年孤寂
年輪剝落於枯朽的樹皮
少年沉澱在深水裡
剩下太陽和心
不知隨駭浪　颳去了哪裡

掰開他緊握的手心
是當初那棵已年邁幼苗
沙石淹埋了存在的痕跡
原來他們都已凋零
後來風吹起蒲公英與他的約定
縹緲雲霧中於無形
他們的終點站
在一顆　千年前消亡的晨星

永恆流淌

一瞬空茫了昨天
借着路邊發光的側顏
把幻影咀嚼
如動作乏味成篇

月澆灌着土壤
把危境繁衍
游禽被擊落
盤旋呼嘯的慾念

浮生連綿着心願
卻失意於鐘響前
精明的人兒
正換算荒唐

在長河
被詛咒的瘋狂
千百年不變
永恆流淌

人生

黃風　荒蕪中私奔
收載枯萎麥田
把真實粉碎
垂涎發芽

膚淺的人生
吹滅在山河表面
讓硝煙破裂視線
注視狹隘的美

憂傷是
被贈予天的子彈
遠揚荒涼
代表初始的原貌
播撒空泛
掏空歡愉的顏色

飲下解憂的湯
住進斑駁情節
渲染爛漫
浮沉夢囈
「土地泯滅了絕望
正搖晃着一盞光」

（17）补虚药：白扁豆、大枣、刺五加、绞股蓝、红景天、沙棘、仙茅、益智仁、锁阳、沙苑子、核桃仁、龙眼肉、桑椹。

（18）收涩药：麻黄根、五倍子、罂粟壳、禹余粮、石榴皮。

（19）涌吐药：瓜蒂、胆矾。

（20）攻毒杀虫止痒药：土荆皮、白矾、大蒜。

（21）拔毒化腐生肌药：砒石、铅丹、轻粉。

芦、山慈菇、半边莲、紫草、银柴胡、胡黄连。

（3）泻下药：番泻叶、芦荟、郁李仁，商陆。

（4）祛风湿药：川乌、草乌、乌梢蛇、海风藤、昆明山海棠、雷公藤、络石藤、豨莶草、臭梧桐、桑枝、海桐皮，狗脊。

（5）化湿药：草豆蔻、草果。

（6）利水渗湿药：香加皮、海金沙、萹蓄、地肤子、冬葵子、灯心草、珍珠草。

（7）温里药：小茴香、荜茇、荜澄茄、胡椒。

（8）理气药：柿蒂、荔枝核、佛手、香橼、大腹皮、刀豆、梅花、玫瑰花、甘松。

（9）消食药：六神曲、麦芽、稻芽。

（10）驱虫药：南瓜子、鹤草芽、榧子。

（11）止血药：侧柏叶，棕榈炭、血余炭、紫珠叶，炮姜、灶心土。

（12）活血化瘀药：降香、银杏叶、月季花、苏木、自然铜、骨碎补、儿茶、刘寄奴、虻虫。

（13）化痰止咳平喘药：皂荚、天竺黄、竹沥、前胡、胖大海、海藻、昆布、黄药子、海蛤壳、海浮石、礞石、马兜铃、枇杷叶、洋金花。

（14）安神药：首乌藤、合欢皮、灵芝。

（15）平肝息风药：珍珠母、刺蒺藜、罗布麻叶、珍珠。

（16）开窍药：冰片、苏合香。

船

晃眼　思緒黯淡
宛如被箭穿透的靶心
雲墜　迷離成透明泡沫
光陰也消散於盛夏

也許　思考是徒步的意義
足底碾壓　又一次編排的輪迴
雕刻家的血　融於作品
凝結成永生的玫瑰
只在野草中綻放
當夜裡還有晨曦

蟬劃破白淨的線
零落遺憾　糾纏身後
最終也會無人問津
繭結出摧枯拉朽的懷念

死去的鯨在海中渙漫
屬於時間的葬禮
永遠將長眠地底
沉淪在流域的果斷

走到盡頭的展覽館
推門遠去　告別熙攘
眼前有淡金色的陳舊海灘
漂流瓶帶來異世界的邀請函
此刻　我正在踏上　那黃昏造的船

入境

蓬勃的謬論
始於黃金之巔
祈願犬日夜不眠
催產聲聲沙浪

詭秘的面具下
揣摩着預言
諦聽淤積在器官
散發屍臭的迷戀

彼時
北夜幽冥
雷鳴
割奪魂曲

淪陷入境
那來自禁令的技藝
迷暈四季
逃向通往天國的階梯

永存宇宙

午後　星空
有懸掛的念頭
月亮說着晚安
在本該光照的地方

務必記得安靜
耐心等待
直到傍晚時分
才能放晴

就這樣
夕陽的國度
被守候了出來
待餘暉掃去星辰

被拉長
也許片刻
就足夠
永存宇宙

回答

睫毛分離的窘況
夢中斷時　該如何蔓延
喘息的瞬間

就像奔跑的瞬間
虛脫極限　任肌肉拉扯
撕裂的情節

照亮的海沒有盡頭
渙散光　不再追逐
鯨落在無氧的環境
變換成彩虹

闔上眼來傾聽大海
生命運作的殿堂

「用真實把真實包裹」
起飛前　它是這樣
自由地　向我回答